Charles M. Sheldon

Em seus passos que faria Jesus?

UNITED PRESS
um selo editorial hagnos

Título original em inglês:
In His Steps

1ª edição: fevereiro de 2009
6ª reimpressão: março de 2023

EDIÇÃO DE TEXTO
Norma C. Braga

REVISÃO
Tom Fernandes

DIAGRAMAÇÃO
Patricia Caycedo

CAPA
Douglas Lucas

EDITOR
Aldo Menezes

COORDENADOR DE PRODUÇÃO
Mauro Terrengui

IMPRESSÃO E ACABAMENTO
Imprensa da Fé

ISBN 978-85-243-0383-8

EDITORA HAGNOS LTDA.
Rua Geraldo Flausino Gomes, 42, conj. 41 — São Paulo, SP
CEP 04575-060
Tel.: (11) 5990-3308

E-mail: hagnos@hagnos.com.br
Home page: www.hagnos.com.br

Editora associada à

Associação Brasileira de Direitos Reprográficos

Porquanto para isto mesmo fostes chamados, pois que também Cristo sofreu em vosso lugar, deixando-vos exemplo para seguirdes os seus passos (1Pedro 2:21).

Na manhã de sexta-feira, o Rev. Henry Maxwell preparava-se para completar o sermão do culto matutino de domingo sobre o texto de 1Pedro 2:21. Seu propósito era enfatizar o modelo que Cristo deixou para ser imitado. Estava prestes a descrever cada passo para seguir Jesus quando ouviu a campainha. Levantou-se contrariado e foi até a janela. Um homem de roupas esfarrapadas girava um surrado chapéu entre as mãos.

– Estou desempregado, senhor, e pensei que talvez pudesse me ajudar a encontrar trabalho.

– Não sei de nenhum emprego disponível – respondeu Maxwell. – Desculpe, estou muito ocupado. Espero que encontre alguma coisa.

Após fechar a porta, olhou pela janela do corredor. Julgou aquele homem tão abatido que hesitou por um momento, mas logo retomou suas anotações. Em duas horas o sermão estava pronto.

A manhã daquele domingo estava esplendorosa na cidade de Raymond. Iniciado o culto às onze horas, Maxwell se sentiu satisfeito ao vislumbrar o templo tão cheio. Quando a soprano Rachel Winslow terminou de cantar "'Tudo, ó Cristo, a ti entrego/ Tudo, sim, por ti darei", pareceu ao ministro que o auditório se conteve para não bater palmas. Em seguida, subiu ao púlpito com alegria. Era considerado um orador excepcional e de fato gostava de pregar. Diante de um auditório como aquele, sentia-se no máximo de sua pujança. Enquanto se esmerava na retórica do que tinha a dizer, não podia deixar de pensar na qualidade da Primeira Igreja, com sua bela música e os membros representativos da melhor sociedade de Raymond.

De repente, após o fim do sermão, todos se surpreenderam pela voz de um homem vinda do fundo do templo. Quando ele se aproximou do púlpito, Maxwell o reconheceu: era o mesmo jovem maltrapilho que tinha batido à sua porta. Girava novamente o surrado chapéu entre as mãos. De modo humilde, começou a falar:

– Não sou um andarilho qualquer. Perdi meu emprego há dez meses. Sou tipógrafo. As novas máquinas linotipo deixaram a muitos desempregados. E essa é a única coisa que sei fazer. Não encontro mais emprego e há muitos outros na mesma situação. O ministro pregou que o discípulo de Jesus precisa seguir os passos dele: obediência, fé, amor e imitação. Mas não ouvi explicação para esses passos, principalmente o último. O que seria seguir os passos de Jesus?

Maxwell permaneceu a seu lado, imóvel. Apoiava-se no púlpito, com o rosto cada vez mais pálido e triste. Assim como ele, ninguém esboçava gesto algum para interromper o estranho, que continuava:

– Fico confuso quando vejo tantos cristãos vivendo com conforto e cantando "Tudo, ó Cristo, a ti entrego/ Tudo, sim, por ti darei". Minha filhinha mora com a família de um impressor até eu me estabilizar. Minha mulher morreu há quatro meses, sufocada em um quartinho apertado em Nova York, de propriedade de um membro da igreja. Os membros de igrejas grandes têm dinheiro para luxos enquanto os que estão fora morrem em cubículos sórdidos e andam pelas ruas à procura de trabalho, vivendo na miséria, na embriaguez e no pecado.

O homem se desequilibrou de repente, apoiando-se na mesa com uma das mãos. Seu chapéu rolou pelo tapete. Sem uma palavra ou gemido, caiu pesadamente no chão. O Dr. West declarou que estava apenas desmaiado. "Algum problema no coração", observou, enquanto ajudava a carregá-lo até o gabinete pastoral.

Henry Maxwell decidiu hospedar o homem em sua casa, velando-o todas as noites. Seu estado piorava rapidamente. Domingo de madrugada, ele reagiu e conseguiu falar com dificuldade:

- O senhor foi muito bom para mim. Sinto que é isto o que Jesus faria - em seguida, virou a cabeça para o lado e morreu.

O acontecimento foi de grande comoção para os membros da Primeira Igreja. Domingo de manhã, ainda abatido pelas noites de vigília, Maxwell pregou de modo inédito: sem anotações e sem a oratória brilhante de costume. Após fechar sua Bíblia, ainda hesitante, pôs-se a falar sobre a cena incomum do último domingo.

- Nosso irmão morreu nesta manhã. Tenho perguntado a mim mesmo o que significa seguir a Jesus. Esse homem tocou em uma verdade vital sobre todos nós como discípulos de Cristo. Quero então lhes propor um desafio.

Fez uma pausa e vislumbrou entre a audiência vários cristãos consagrados e respeitados na comunidade, como Edward Norman, diretor do Diário de Notícias; Alexander Powers, gerente de oficinas ferroviárias; Donald Marsh, diretor do Colégio Lincoln; Milton Wright, um dos grandes homens de negócios da cidade; Dr. West, autoridade em cirurgia; Jasper Chase, autor de romances; Rachel Winslow, a bela soprano do coral; Virginia Page, herdeira de um milhão de dólares; e muitos outros com importantes dotes pessoais e intelectuais. O pastor Maxwell esperava que todos eles se envolvessem no que tinha a dizer.

– Quero desafiar vocês, pelo período de um ano, ao questionamento "Que faria Jesus?" antes de qualquer decisão. Nosso objetivo será agir como ele agiria em nosso lugar, sejam quais forem as consequências. Para mais detalhes, quem se interessar pode se encontrar comigo no gabinete.

Após as formalizações de encerramento do culto, Maxwell ficou surpreso com as cinquenta pessoas que encontrou no gabinete, entre elas Rachel Winslow, Virginia Page, Edward Norman, Donald Marsh, Alexander Powers, Milton Wright, Dr. West e Jasper Chase. Seus lábios tremiam de emoção. Maxwell estava consciente da profunda transformação que seria operada em suas vidas por meio do Espírito Santo. Junto àquelas pessoas, levantou a voz para orar, e logo foi sentida por todos a presença do Espírito. Iniciou-se assim o movimento mais solene jamais realizado na Primeira Igreja de Raymond.

Após a oração, Maxwell se dirigiu aos presentes:

- Como sabemos, nosso compromisso é agir segundo a resposta à pergunta: "Que faria Jesus?" O que experimentei desde domingo passado me fez questionar o que significa ser cristão. Por isso, convoquei a igreja a esse desafio. Vocês estão prontos?

A bela Rachel Winslow ergueu a mão.

- Como saber exatamente o que Jesus faria? Nossa época é outra. Há muitas questões que os ensinamentos de Cristo não abordam.

– Através do Espírito Santo. Jesus disse: "Quando vier, porém, o Espírito da verdade, ele vos guiará a toda a verdade" (João 16:13). Se decidirmos seguir os passos de Jesus com toda sinceridade, iluminados pelo Espírito, dificilmente haverá confusão. Se Jesus nos recomenda imitar seu exemplo, trata-se de algo praticável. Então, quando perguntarmos ao Espírito o que Jesus faria e recebermos a resposta, devemos agir de acordo, sejam quais forem as consequências. Certo?

Todos aquiesceram. Ao fim da reunião, Maxwell ainda orou e meditou mais algum tempo. Mal poderia prever o rebuliço que aquele movimento causaria na cidade de Raymond.

*Aquele que diz que permanece nele,
esse deve também andar assim como ele andou
(1João 2:6).*

O diretor do Diário de Notícias de Raymond, Edward Norman, chegara bem cedo ao jornal naquele dia. Estava pensativo quanto à decisão tomada na igreja. Fechou a porta e fez o que não fazia há anos: ajoelhou-se e orou invocando a presença e a sabedoria de Deus. Começou assim sua rotina diária, com a convicção de agir conforme Jesus agiria.

Logo em seguida, o editor responsável lhe mostrou a reportagem da luta de boxe do dia anterior. Norman olhou para o documento e decidiu:

- Não vamos publicar isto.

O editor ficou pasmo. Teria Norman enlouquecido?

- Clark, você é cristão como eu, certo? Então. Se Cristo fosse o dono do jornal, você acha que ele publicaria três colunas e meia de uma luta de boxe?

- Não, não publicaria.

- Bom, decidi só fazer no Diário, durante um ano, o que Jesus faria. Por isso não vou publicar a matéria.

Todos os funcionários do Diário de Notícias comentavam o fato absurdo: o jornal sairia sem uma palavra sobre a famosa luta de domingo. Quando chegou às bancas, foi visível a decepção de seus leitores. Muitos devolveram os exemplares. Um bom número de jornaleiros se dirigiu à distribuição para reclamar. Norman decidiu compensar-lhes o prejuízo financeiro, surpreendendo a todos.

De volta para casa, o diretor se viu imerso em seus pensamentos. Havia ainda muito a ser mudado no jornal. Avaliou que era inevitável a queda nas vendas. Contudo, estava ainda longe de prever toda a extensão dos prejuízos.

Na semana seguinte, recebeu grande número de reclamações indignadas de leitores e anunciantes. Aproveitou para examinar as colunas de anúncios e constatou que seu Mestre vetaria vários deles, como os de bebidas e charutos. Depois de orar, pediu a Clark que deixasse de renovar alguns contratos com os agentes de publicidade. Clark estremeceu.

– Isso vai representar uma grande perda para o Diário de Notícias.

– Clark, você acha que Jesus permitiria anúncios de uísque e cigarro no jornal dele?

Relutante, o editor responsável teve que responder que não.

Entretanto, Norman ainda não tinha enfrentado o problema mais sério, a edição dominical, com suas quarenta páginas de esporte, cinema, fofocas, moda, sociedade e política. Será que Jesus editaria um jornal no dia do Senhor? Foi um penoso dilema. Seria uma perda de milhares de dólares e os assinantes se sentiriam lesados com menos de sete exemplares por semana.

Pela primeira vez, Norman quase fraquejou. Por fim, comunicou à equipe que suspenderia a edição dominical do Diário, frisando que compensaria o público com uma edição dupla aos sábados.

- Acredito que Jesus não seria favorável a um jornal aos domingos, se estivesse em meu lugar - explicou. - Na última edição, domingo que vem, sairá um editorial expondo meus motivos.

Uma nova manhã de domingo raiou sobre Raymond e a igreja de Henry Maxwell estava outra vez repleta de fiéis. Todos comentavam a transformação do Diário de Notícias. A linguagem do editorial daquele dia estava tão elevada que impressionou os leitores.

Henry Maxwell experimentava sentimentos incomuns durante o louvor. Tinha passado dias inquietantes perguntando-se "Como pregaria Jesus?", sabendo-se incapaz de transmitir uma mensagem que fosse o reflexo da mensagem de Cristo. Na pregação daquele dia, insurgiu-se contra o pecado, com especial relevo para o da hipocrisia; advertiu os irmãos contra a ambição da riqueza e da ostentação da moda; e expressou de modo incomum o amor por seu rebanho, que renovava suas forças ao longo de todo o sermão. Ao final, muitos pareciam confirmar: "O Espírito inspirou a mensagem". Então Rachel Winslow levantou-se para cantar, desta vez depois do sermão, a pedido do pastor. Em vez de empolgar a igreja, seu cântico levou a todos a um silêncio piedoso, em que prevalecia um sentimento de humildade e pureza, sob o poder do Espírito.

Antes do encerramento do culto, Maxwell convocou uma nova reunião no gabinete. Surpreendeu-se com o maior número de pessoas presentes, entre elas um grupo de jovens. Como antes, ergueu a voz em oração, e o

Espírito Santo manifestou-se mais uma vez. Havia entre eles um sentimento fraternal jamais visto.

Permaneceram ali mais algum tempo para trocar impressões e experiências. Confessaram sua perplexidade diante de várias decisões a tomar. Nem sempre era fácil responder à pergunta "o que Jesus faria?". Sentiam que a aplicação do ensino de Cristo na vida diária era um assunto sério, que requeria um conhecimento específico sobre Jesus e suas razões, o que a maioria ainda não possuía.

Ao final da reunião, Alexander Powers convidou Maxwell a dar uma palavra para os operários de sua fábrica. Após hesitar por um momento, o pastor se fez a pergunta correta: "Que faria Jesus?" Isso pôs fim a qualquer dúvida.

No dia seguinte, Maxwell encontrou Powers em seu escritório.

Empolgado, o gerente o levou a uma grande sala.

– A companhia me autorizou a usar este espaço. A ideia é que meus operários almocem aqui e ouçam uma palestra edificante de quinze minutos. Acho que isso é o que Jesus faria para acrescentar às vidas desses homens mais conforto material e espiritual.

Quando todos chegaram, impressionados com a sala ampla e climatizada, Maxwell sentiu-se desconfortável. Como reagiriam os operários à sua palavra? Nunca havia se dirigido a uma audiência que não fosse de sua própria classe. Mas os homens ficaram satisfeitos, e um bom número deles apertou-lhe a mão antes de voltar para o trabalho. Para Maxwell, esse dia ficou marcado como um dos mais importantes em sua experiência cristã.

Depois que Maxwell se foi, Alexander Powers reassumiu com alegria sua rotina de trabalho. Afinal de contas, fez o que Jesus teria feito. Ao cair da tarde, abriu um envelope da companhia. Constatou que tinha vindo parar ali por engano. Sem querer, bateu os olhos em uma frase que provava que a empresa estava envolvida em uma violação sistemática das leis comerciais do país e dos próprios estatutos da organização.

Seu primeiro impulso foi devolver o envelope e fingir que não era com ele. Se denunciasse a irregularidade, corria o risco de perder sua posição. Mas lhe veio logo a pergunta: "Que faria Jesus?" O expediente já tinha se encerrado quando ele decidiu se ajoelhar, o rosto entre as mãos, diante dos papéis em sua mesa.

Se alguém vem a mim e não aborrece a seu pai, e mãe, e mulher, e filhos, e irmãos, e irmãs e ainda a sua própria vida, não pode ser meu discípulo [...] Assim, pois, todo aquele que dentre vós não renuncia a tudo quanto tem não pode ser meu discípulo (Lucas 14:26,33).

Virginia Page convidou Rachel Winslow para um almoço em sua casa. Rachel contava à amiga sobre uma oferta de trabalho que havia recebido como cantora. Deveria aceitar? Em resposta, Virginia desabafou:

– Rachel, acho que você sabe responder "o que faria Jesus" muito melhor que eu. Como sou herdeira de uma fortuna, todo mundo acredita que sou feliz. Mas, quando penso no que Jesus faria em meu lugar, considero-me uma condenada por ser uma das criaturas mais egoístas e inúteis do mundo.

Aquilo mexeu profundamente com Rachel. Seria correto entrar para uma companhia lírica itinerante, vender seu talento por um bom salário, vestir-se luxuosamente, deslumbrar-se com o aplauso das plateias e obter consagração como grande cantora? Seria isso o que Jesus faria?

Foi anunciado o almoço, em companhia da avó e do irmão de Virginia, Rollin. Ambos elogiaram o talento musical de Rachel e lhe perguntaram alegremente sobre a oferta recebida, conforme haviam lido no Diário de Notícias. Rollin chegara a comentar que muitos iam à igreja apenas para ouvi-la cantar. Um tanto contrariada, Rachel se adiantou, consciente de que os rumos daquela conversa apressavam sua decisão:

- Não vou aceitar, pelo menos neste momento.

A avó de Virginia se consternou.

– Por que rejeitar o convite? É uma boa oportunidade para uma jovem como você. Além disso, uma voz como a sua pertence a uma audiência bem maior do que Raymond e a Primeira Igreja.

Rachel Winslow foi franca:

– Sra. Page, meu único motivo é a convicção de que, em meu lugar, Jesus Cristo faria o mesmo.

A Sra. Page enrubesceu e Rollin arregalou os olhos. Virginia acudiu a amiga lembrando sua avó da proposta do pastor Maxwell.

– Essa proposta é absurda – exclamou a Sra. Page com rudeza. – Virginia, espero que você não tenha ideias estapafúrdias semelhantes.

– Tenho muitas – replicou Virginia serenamente. – Tudo vai depender da minha compreensão sobre o que Jesus faria.

Rollin pediu licença e levantou-se da mesa. A Sra. Page ergueu a voz:

- Sou muito mais velha do que vocês, senhoritas. Sei que essa promessa, feita em um momento de emoção, é impossível. E você, querida Rachel, vai acabar se arrependendo de não ter aproveitado essa oportunidade.

Decorridos uns dias depois dessa visita, Rachel soube que Virginia havia passado por uma crise terrível durante aquela cena, o que apressou sua decisão quanto ao uso de seu dinheiro e de sua posição social.

- Mamãe, decidi não aceitar o convite da companhia.

A Sra. Winslow era uma mulher ambiciosa, preocupada acima de tudo com a ascensão profissional e social de seus filhos. Ao ouvir a frase de sua filha, franziu o cenho. Rachel explicou que, ao se indagar "Que faria Jesus?", compreendeu que ele não usaria sua voz daquela maneira.

- Por quê? É algum pecado ser cantora lírica?

- Não foi isso que eu quis dizer, mamãe. Estou apenas escolhendo meu próprio caminho. Sinto a convicção de que Jesus faria algo mais útil à humanidade. Queria usar a minha voz para satisfazer à minha alma, não só para enriquecer ou impressionar auditórios sofisticados.

A firmeza de Rachel surpreendeu a Sra. Winslow.

- Filha, você está fanatizada!

- Mamãe, não consigo imaginar Jesus associando-se a uma companhia para angariar fama e dinheiro. Vou continuar cantando na igreja aos domingos. E, durante a semana, vou cantar nas reuniões da Cruz Branca, no Retângulo.

- O quê? Rachel! Você sabe qual é o tipo de gente que vive lá?

A filha estremeceu. Depois se recompôs e continuou, com convicção:

- O Sr. Gray e a esposa estão precisando de cantores para cooperarem no trabalho evangelístico. Quero fazer alguma coisa que me custe sacrifício. Quero sofrer por meu próximo em nome de Jesus! O que temos feito por aquela gente pecadora e sofredora daquela parte de Raymond?

- Está me pregando um sermão?

- Não. Estou pregando para mim mesma - respondeu a jovem.

Em seu quarto, ajoelhou-se e orou. Em seguida, convidou Virginia para ir ao Retângulo encontrar-se com o casal de evangelistas. O Dr. West, tio de Virginia, também se dispôs a ajudar. Rachel pôde sentir a silenciosa amargura de sua mãe diante daquela decisão. Por volta das dezenove horas, os três seguiram para o local das reuniões da Cruz Branca.

O Retângulo era o lugar mais sórdido de Raymond. A Primeira Igreja jamais tinha marcado presença ali. Os evangelistas fincaram uma tenda de tamanho adequado para as reuniões. Quando Rachel Winslow começou a cantar, os botequins, tavernas e alojamentos imundos foram invadidos de beleza. Um dos atingidos foi Alexander Powers, que voltava do trabalho em uma profunda crise. Enlevado, ouviu: "Sempre, sempre seguirei a Cristo/ Aonde quer que ele for, eu o seguirei". E ali mesmo tomou sua decisão.

A tenda do evangelista se enchia de gente enquanto, em seu escritório, Henry Maxwell preparava a palavra do culto de oração daquela quarta-feira. De sua janela conseguia ver a ponta da tenda armada no Retângulo. Depois de refletir um pouco, começou a escrever:

O que Jesus faria nesta cidade

1. Viver de um modo simples, sem luxos, mas também sem ascetismo.
2. Pregar corajosamente aos hipócritas da congregação.
3. Tratar a todos indistintamente.
4. Identificar-se com as grandes causas da humanidade.
5. Pregar contra lugares de vício e perdição.
6. Tornar-se conhecido como amigo da gente miserável do Retângulo.
7. Deixar de ir à Europa este ano e usar o dinheiro para algo mais útil.

Estava absorto nas grandes mudanças que esses pontos significariam em seus hábitos quando recebeu a visita de Gray, que lhe pediu ajuda para a reunião evangelística no Retângulo.

– O canto de Rachel atraiu uma multidão. Estou muito resfriado e minha voz está fraca. Posso contar com sua ajuda?

Maxwell aquiesceu. Depois de reunir na igreja um grupo de voluntários, chegou ao Retângulo. Teve dificuldade para alcançar o local de onde pregaria. O povo estava agitado e pedia música. Rachel cantou: "Jesus, Senhor, me chego a ti/ Aceita um pecador!" E logo todo o Retângulo foi tomado por um silêncio reverente. Entre a assistência, Jasper Chase e Rollin Page lançavam olhares apaixonados para Rachel.

Maxwell se perguntava: "Que faria Jesus?" O Mestre nutria amor e compaixão por multidões de pecadores. Ancorado nisso, pregou de modo seguro e vigoroso. Ao fim da reunião, o público logo se espalhou de volta para a noite boêmia de Raymond, sob o olhar consternado do pastor.

No dia seguinte, Maxwell refletia sobre como proceder com relação ao elevado alcoolismo na cidade quando sua esposa veio com o Diário de Notícias. Ficaram impressionados: as colunas evidenciavam a obediência de Norman a seu compromisso. O estilo dos editoriais empolgava. E uma reportagem lhes chamou a atenção: Alexander Powers havia denunciado o crime em sua empresa, demitindo-se em seguida. A matéria louvava seus esforços como "comparáveis à atitude que Jesus tomaria".

- E a família, como vai reagir? - inquietou-se a Sra. Maxwell.

- Da pior forma possível. Mas essa é a cruz de Powers.

Maxwell decidiu vê-lo. Apertaram-se as mãos em silêncio, expressando um forte laço entre pastor e ovelha. Powers comentou que não ficaria desempregado, pois poderia assumir seu antigo emprego no telégrafo; porém, a família não se conformava de perder posição social. Em seguida, pediu ao pastor que continuasse pregando para os operários da fábrica, pois o trabalho seria mantido. Maxwell prometeu que o faria.

Antes de ir para casa, o reverendo resolveu passar por um dos armazéns de Milton Wright. Outrora realista e pragmático, Wright estava empolgado com as transformações realizadas em seus negócios.

– A primeira mudança foi em mim mesmo. Queria tratar melhor meus empregados. Indaguei-me como Jesus agiria diante daqueles escriturários, contabilistas, carregadores, vendedores. Compreendi que ele seria mais próximo, mais humano. Agora, depois de uma reunião emocionante com eles, estou empreendendo uma reforma. Dê uma olhada nesse papel:

O que Jesus faria no lugar de Milton Wright

1. Seu primeiro propósito seria glorificar a Deus, e não ganhar dinheiro.
2. O lucro de seu trabalho se destinaria ao bem da humanidade.
3. Haveria afeto e preocupação com as almas dos empregados.
4. Nada de obter vantagens comerciais desonestamente.
5. Haveria generosidade em todos os detalhes da condução dos negócios.

Wright explicou:

– Quero agir com altruísmo inteligente em vez de egoísmo enganoso. Sendo beneficiados tanto por lucro quanto por valorização pessoal, meus empregados serão mais ativos, mais fiéis e menos esbanjadores, não acha?

Maxwell concordou, satisfeito com a verdadeira revolução que se operava naquele local. Reflexos da decisão de Wright eram visíveis na aparência e na conduta de seus funcionários. Com isso em mente, o reverendo retornou a seu escritório decidido a preparar um sermão contra o alcoolismo, orando e perguntando-se a cada parágrafo o que Jesus diria sobre o assunto.

No Retângulo, as reuniões aumentavam de público a cada noite. Para Virginia Page e Jasper Chase, o cântico de Rachel era a melhor parte. Com a voz recuperada, Gray pronunciou algumas palavras e estendeu seus braços em convite. Entre os que vieram à frente, estava uma jovem chorando, sendo recebida por Virginia, e um homem bem-vestido, ajoelhado a dois metros de Rachel, que cantava em voz baixa: "Porque Jesus por mim morreu,/ Eu venho como estou". Ao olhar em torno, Rachel viu que era Rollin Page e ficou admirada, quase perdendo o fio da melodia. A reunião acabou depois da meia-noite, com Gray rodeado de novos convertidos ansiosos por orientação, entre eles o jovem Rollin.

Em casa, Rachel se sentia assaltada por emoções conflitantes. Havia nela a profunda alegria de ter presenciado o maravilhoso poder do Espírito naquela noite. Ao mesmo tempo, inquietava-se porque, depois de sua visita a Virginia Page, Rollin Page havia se declarado para ela, e agora Jasper Chase fizera o mesmo. Assustada, havia recusado a ambos.

Sentia que não era o momento de se envolver com qualquer coisa que não fosse a glória divina agindo naquelas conversões. E se desgostava de ter de pensar nesses assuntos, que nunca lhe pareceram tão sem importância como agora.

Os últimos acontecimentos na cidade de Raymond começaram a migrar da congregação para os grandes noticiários. Todos comentavam as atitudes de Alexandre Powers quanto à fábrica e Edward Norman em seu jornal. Enquanto isso, Rachel Winslow e Virginia Page provocavam burburinhos na sociedade por comparecerem juntas ao Retângulo. Para completar, na última reunião converteram-se mais de cinquenta pessoas, entre elas os piores indivíduos da vizinhança, além de Rollin Page.

Na Primeira Igreja, a maior transformação dizia respeito ao próprio ministro. A retórica, os trejeitos, as entonações da voz, tudo isso deu lugar a mensagens candentes em que prevaleciam amor, humildade, candura e entusiasmo. Ele agora transmitia o Evangelho vivo. Até suas orações, outrora belas peças de oratória, estavam menos refinadas e até com alguns erros gramaticais. A qualidade do fraseado fora substituída definitivamente pela ênfase na essência do Evangelho.

Naquela manhã, Maxwell pregou contra o alcoolismo com uma liberdade que parecia revelar sua profunda convicção de que Jesus falaria assim. Exortou os presentes a olhar a vida nova que se iniciava no Retângulo, que teria no álcool um poderoso inimigo. Mencionou as próximas eleições municipais e um dos temas das campanhas, as licenças para venda de bebidas. Não seria dever de todo cristão combater o alcoolismo nas urnas? Que faria Jesus? Será que ele se recusaria a sofrer e carregar a sua cruz nessa empreitada? Consistiria a vida cristã tão-somente de costumes e tradição?

Aquele poderoso movimento de imitação de Jesus, iniciado por inspiração de um estranho, funcionara como um fermento em toda a comunidade. Enquanto pregava, muitos ali repetiam para si as palavras ditas por Rachel a sua mãe: "Quero fazer alguma coisa que me custe sacrifício. Quero sofrer por meu próximo em nome de Jesus!"

Após o culto, quando se dirigiu ao gabinete para a reunião, Maxwell se surpreendeu com as quase cem pessoas que estavam lá. Nunca o Espírito Santo tinha se manifestado daquela forma. O pastor notou a ausência de Jasper Chase, mas todos os outros ali estavam. Aconselharam-se mutuamente e oraram juntos. O próprio ar parecia carregado do poder de Deus. Quando retornaram a seus lares, todos estavam impressionados com a glória emanada do poder do Espírito Santo.

O diretor do Colégio Lincoln, Donald Marsh, conversava com Maxwell enquanto voltavam para casa. Confessava-se impactado com o sermão.

- Em meu lugar, sei que Jesus agiria como eu, dando aulas de Ética e Filosofia. Mas sei também que faria algo mais. E esse algo é difícil para mim.

– Acho que sei o que é – respondeu Maxwell.

– Pois é, somos parecidos nisso – continuou Marsh. – Evitamos os deveres da cidadania e nos afundamos em nosso pequeno mundo de erudição e literatura. Confesso que, diante da corrupção da sociedade, permaneço acomodado e distante em meu pequeno mundo. Gostaria de crer que Jesus jamais entraria para a política. Mas é como se Deus me dissesse: "Donald, cumpra seu dever de cidadão de Raymond. Lute contra essa podridão do governo municipal, mesmo que isso ofenda seus sentimentos aristocráticos". Esta é, Henry, a minha cruz. Devo carregá-la ou negar ao meu Senhor.

– Sim, somos parecidos – sorriu Maxwell, um pouco envergonhado. – Também estou alheio a tudo isso.

Ministros não costumam se meter com política. Hoje, eu preferiria trabalhar no Retângulo pelo resto da vida a envolver-me com a reforma desta cidade mergulhada em podridão. É como você diz: nós, ministros, professores, artistas, escritores, temos sido políticos covardes. Jesus não agiria assim em nossa época.

Os dois caminharam em silêncio durante algum tempo até que Marsh retomou a palavra:

- Henry, vamos arregimentar as forças cristãs de Raymond para a batalha contra o álcool e a corrupção. Vamos planejar uma campanha com base na honestidade e na justiça, carregando com coragem esta cruz.

Poucos dias depois, encontraram-se em uma reunião pública no Palácio da Justiça. Os cargos eletivos eram para prefeito, chefe de polícia, conselho, tabelião e tesoureiro municipal. O editorial do Diário de Notícias informou que pela primeira vez os costumeiros figurões políticos da cidade estavam em menor número, não poupando adjetivos: "Essa chapa é formada pelas velhas raposas favoráveis ao alcoolismo e à corrupção governamental que vimos sofrendo há anos, contrastando-se com o grupo de Donald Marsh, que conta com cidadãos honestos, capazes de uma administração correta e eficiente. A escolha está em nossas mãos. Continuaremos sob a lei do álcool, da propina, da incompetência, ou, como discursou o diretor Marsh, iniciaremos uma nova etapa? Que todos os que estão a favor do direito, da temperança e do lar apoiem o diretor Marsh nessa reforma há muito desejada em nossa cidade".

Pela primeira vez em sua história, Raymond contava com professores, médicos e ministros envolvidos na atividade política, em franca oposição às forças civis que haviam controlado por tanto tempo a máquina municipal. Naquele mesmo dia, Marsh estabeleceu como marco inicial para si mesmo e para a instituição que dirigia uma nova definição da velha ideia "o intelectual na política". Para ele, a educação passaria a incluir uma parte de sacrifício.

Não penseis que vim trazer paz à terra;
não vim trazer paz, mas espada.
Pois vim causar divisão entre o homem
e seu pai; entre a filha e sua mãe e
entre a nora e sua sogra.
Assim, os inimigos do homem
serão os da sua própria casa
(Mateus 10:34-36).

Sede, pois, imitadores de Deus,
como filhos amados;
e andai em amor,
como também Cristo vos amou...
(Efésios5:1,2).

Virginia Page estava levando três delicadas representantes da alta sociedade de Raymond à reunião no Retângulo. O convite havia sido quase por acaso, mas agora esperava que fossem impactadas. Passaram por uma mulher cambaleante e Virginia a reconheceu.

- Loreen! - gritou, pedindo para saltar do veículo um instante. Era a jovem que havia chorado em seus braços. Havia provado a alegria de uma vida melhor, para logo escorregar de novo em seu inferno de vergonha e morte. "Que faria Jesus?" Virginia chocou a todos com sua decisão: - Podem ir, não esperem por mim. Vou levar a minha amiga para casa.

Ela olhou em volta. Alguns rostos se mostravam compadecidos. O Espírito Santo havia abrandado corações no Retângulo.

- Onde ela mora? - perguntou.

Ninguém respondeu. A jovem desvencilhou-se com violência das mãos de Virginia:

- Você não ponha a mão em mim! Deixe-me ir pro inferno! É lá o meu lugar! O diabo está me esperando, olha ele ali! - apontava o dedo trêmulo para o dono do bar. A multidão riu.

– Loreen – respondeu Virginia com firmeza –, venha comigo. Você não pertence ao inferno. Você pertence a Jesus e ele vai salvá-la. Venha.

De repente, a pobre moça começou a chorar. A cena causava espécie: uma das mais ricas e bem-vestidas jovens de Raymond amparava uma das figuras mais conhecidas e mais embriagadas do Retângulo. Isso dignificava Loreen aos olhos alheios.

Bateram à porta do Sr. Gray, mas não havia ninguém. "Que faria Jesus com Loreen?" Virginia concluiu que deveria levá-la à sua casa.

– Vovó – anunciou sem hesitação –, trouxe uma de minhas amigas do Retângulo. Vou cuidar dela aqui por algum tempo.

A Sra. Page mal conseguia acreditar.

- Uma de suas amigas? - repetiu a avó, em um tom ferino. Seu rosto ficou em brasa, mas ela se lembrou do versículo: "Amigos de publicanos e pecadores". Com certeza, aquilo era o que Jesus faria.

- Você sabe quem é essa mulher?

- Sei, é uma rejeitada. Está bêbada. Mas também é filha de Deus. Estava arrependida e chorando na igreja. E satanás a quer de novo. Pela graça de Cristo, podemos e devemos ajudar essa moça. Ela fica aqui.

A Sra. Page fulminou Virginia com o olhar. Aquilo significaria arriscar posição e prestígio na sociedade, instituição mais importante, para ela, que a própria igreja. Em resposta, Virginia envolveu Loreen com o braço. Sem mais argumentos, a Sra. Page ameaçou ir embora de casa, mas nada demoveu Virginia de sua decisão. A casa também era dela e estava certa de que Jesus faria o mesmo.

Depois de acomodar Loreen em um dos quartos, Virginia desceu para o chá e soube por Rollin que a avó havia viajado. Confortaram-se mutuamente e ela quis saber se o irmão desaprovava sua conduta. Quando ele respondeu que Jesus agiria de acordo, Virginia se alegrou como nunca por sua conversão.

Na Primeira Igreja, a reunião no gabinete após o culto já se tornara regular. Henry Maxwell notou novamente a ausência de Jasper Chase, mas os demais estavam presentes. Edward Norman decidiu compartilhar com o grupo suas preocupações com relação ao jornal.

- Muitas assinaturas foram canceladas nos últimos três meses. Os motivos são vários: ausência de reportagens sobre crimes escabrosos, lutas de boxe, escândalos; suspensão da edição de domingo; queda nos anúncios; o tratamento dos temas políticos de um ponto de vista moralista e não-partidário. Creio que Jesus endossaria tudo isso, mas o Diário de Notícias logo irá à bancarrota, a menos que algo aconteça. Agora sei que, se fizessem o que Jesus faria, muitos homens de negócios perderiam suas fortunas. Não pretendo desistir; mas preciso do apoio dos cristãos de Raymond. Senão, o jornal vai fechar.

Virginia seguia a exposição de Norman com o máximo interesse.

- Qual seria o montante necessário? - perguntou.

Norman alegrou-se. Conhecia Virginia desde menina na Escola Dominical e havia feito negócios com o pai dela. Respondeu, um tanto trêmulo, que havia pensado em meio milhão de dólares. Para a surpresa de todos, Virginia falou como se já amadurecido plenamente a ideia:

- O dinheiro que tenho não me pertence, mas sim a Deus. Estou pronta para aplicar esse valor no jornal.

- Graças a Deus! - exclamou Maxwell, emocionado.

- Preocupo-me com o alcoolismo em Raymond - prosseguiu ela. - Permitir que o Diário de Notícias fracasse é abrir caminho para o inimigo. Nosso trabalho no Retângulo estará sempre comprometido se nada for feito. Creio que é isto o que Jesus faria.

No gabinete, sentia-se com nitidez a presença divina. Era como se tivessem sido transportados à igreja primitiva. Intuíam que, por causa do mesmo compromisso assumido com Jesus, podiam contar uns com os outros.

A semana que se seguiu a essa reunião de domingo foi uma das mais agitadas de Raymond. O diretor Marsh foi fiel à sua promessa, lançando-se a uma luta que o repugnava, mas que teria de enfrentar como seguidor de Cristo. Com a mesma disposição de sacrifício estavam o reverendo Maxwell e alguns professores do Colégio Lincoln. Quando chegou o dia da eleição, fez-se uma tentativa de fechar todas as casas de bebidas, mas o sucesso foi apenas parcial. A cidade estava em frenesi; bebeu-se muito acima do normal durante todo o dia. No Retângulo, quanto maior o interesse nas reuniões, maior a ferocidade da vileza do lado de fora. Donos de bares ameaçavam abertamente o pequeno grupo, que foi alvejado com objetos de vários tipos quando deixavam a tenda tarde da noite. Gray pediu proteção especial da polícia, deixando Virginia e Rachel sempre sob a proteção de Rollin ou do Dr. West. O canto de Rachel continuava com a mesma beleza e a presença do Espírito parecia mais intensa a cada noite.

A agitação na cidade atingiu seu apogeu quando os locais de votação se encerraram às seis horas. Nunca houvera antes uma disputa tão renhida em Raymond. O ponto-chave da campanha - pró-licença e contra a licença para a venda de bebidas - jamais tinha sido objeto de discussão tão ferrenha.

Os políticos tradicionais estavam abismados diante do que viam.

Por mais cansado que estivesse, Maxwell não pôde resistir ao apelo de Gray para pregar na tenda. E, pela primeira vez, Marsh resolvera comparecer. Rollin e o Dr. West chegaram juntos com Rachel, Virginia e Loreen, que se mantinha perto da amiga como um cão fiel, chorando contrita ao ouvir "Eu fui uma ovelha desgarrada". Apesar da algazarra lá fora, o canto de Rachel mantinha a multidão dentro da tenda. Houve umas doze conversões. Por volta das dez, quando sentiu o povo irrequieto, Gray encerrou o trabalho.

Enquanto Gray permaneceu na tenda para se dedicar aos novos convertidos, os demais se encaminharam para casa. Estavam juntos, prestes a tomar a condução, quando alguém reconheceu entre eles o diretor Marsh. Sob gritos de "Abaixo os aristocratas!", foram alvejados por uma chuva de lama e pedras. Rollin protegeu Rachel com seu corpo, enquanto Loreen, em um movimento rápido, empurrou Virginia para o lado. Da janela de um quarto, no prédio do bar de onde Loreen tinha saído uma semana antes, alguém havia lançado uma pesada garrafa. Virginia ajoelhou-se a seu lado. Os policiais chegaram em seguida.

Em meio aos insultos, o diretor Marsh ergueu o braço e bradou:

- Parem! Vocês mataram uma mulher!

A notícia refreou a multidão.

- Ela está morrendo! - confirmou o Dr. West.

Loreen entreabriu os olhos e sorriu para Virginia. Em um segundo, sua alma entrava no Paraíso.

Quem me segue não andará nas trevas
(João 8:12).

Naquele domingo, de seu púlpito na Primeira Igreja, a voz de Maxwell revelava tristeza e indignação pelos últimos acontecimentos. Loreen estava morta e os partidários do alcoolismo haviam vencido as eleições. A vitória fora apertada e mais de cem cristãos professos deixaram de comparecer aos postos de votação, isso sem contar o número maior deles que votara a favor do álcool. Maxwell derramou sua alma diante da congregação. Muitos choravam abertamente. O formalismo e o estilo convencional tinham para sempre abandonado a Primeira Igreja, que nunca vira tantas lágrimas. Após o culto, o gabinete já parecia pequeno para o grupo de pessoas que vinha à reunião.

Pressionado pelo povo do Retângulo, que por timidez não compareceria à Primeira Igreja, Gray pediu a Virginia e a Maxwell que o corpo de Loreen fosse velado na tenda. E, na segunda-feira, o local se encheu de uma grande multidão. Para lá seguiram Virginia com Rollin e seu tio, acompanhados por Maxwell, Rachel e Donald Marsh, além do quarteto da Primeira Igreja. Tendo ouvido falar da história de Loreen, um repórter resolveu cobrir o velório, por curiosidade e dever de ofício. Seu artigo expressou com cores vivas a singularidade daquele acontecimento. Impressionado tanto com a palavra do pastor contra o alcoolismo quanto com o contraste entre a pobreza do lugar e a magnificência da música tocada ali, o autor descreveu em especial uma cena que lhe deixou profundas impressões:

"Um grupo grande de mulheres na tenda, agrupadas junto ao caixão, começou a cantar, em uma voz triste e lamentosa, um hino que dizia 'Eu fui uma ovelha desgarrada'. Enquanto prosseguia o cântico, uma fila de mulheres passava lentamente ao lado do caixão e, enquanto caminhavam, cada uma delas colocava uma flor sobre o corpo. Depois, sentaram-se, e outra fileira passou junto ao caixão deixando suas flores. Durante todo esse tempo, o cântico soava como uma leve chuva caindo sobre a tenda quando sopra um vento suave. Foi uma das cenas mais singelas, porém mais tocantes a que assisti em toda a minha vida. Faltam-me palavras para descrever o efeito daquele cântico."

Se o enterro de Loreen impressionou tanto um estranho de passagem, não é difícil imaginar os profundos sentimentos daqueles que estiveram ligados a ela em sua vida e em sua morte. E o Espírito Santo parecia soprar ali com um poder especial, pois, naquela noite, dezenas de pessoas, especialmente mulheres, foram atraídas para o aprisco do Bom Pastor.

Para Virginia, a perda de Loreen foi sentida como a de um familiar. No salão de sua casa, conversava sobre isso com Rachel.

– Quero aplicar uma parte do meu dinheiro para ajudar aquelas mulheres a ter uma vida melhor – dizia ela. – Rollin e eu vamos adquirir uma ampla propriedade no Retângulo. Minha ideia é construir abrigos para mulheres pobres e desamparadas como Loreen. Desejo que você trabalhe comigo, Rachel. Você poderia organizar entre as moças uma escola de música. Você viu aquilo ontem? Há vozes maravilhosas entre elas. E Rachel, a música é um instrumento poderoso para ganhar almas para Cristo!

Rachel não se conteve e abraçou a amiga.

- Quero sim, Virginia! Que maravilha poder colocar o dinheiro sob a orientação de Deus!

Riam felizes quando Rollin entrou na sala e hesitou um pouco, sendo logo chamado pela irmã para participar da conversa. Juntos, os três discutiram seus planos futuros, mas Rollin tomava todo o cuidado com Rachel, guardando certa distância.

Quando se viram sozinhos, os dois irmãos caminharam pelo jardim de braços dados, como de costume. Intrigada, Virginia lhe perguntou por que tinha tratado Rachel de modo tão formal daquela vez. Rollin não teve como fugir da resposta: confessou que a amava.

– No dia em que ela comunicou sua decisão sobre a proposta de trabalho, assim que se despediu, alcancei-a na avenida e declarei meu amor por ela. Fui rejeitado. Alegou que eu não tinha um propósito na vida, e estava certa. Mas, agora que tenho, agora que sou uma nova pessoa, tenho muita dificuldade de me expressar. Rachel fechou a porta para mim, entende? Quando me converti, já não estava pensando no que sentia por ela. Foi como se todo o meu amor se transformasse em um amor maior a Deus e a meu Salvador.

Rollin ficou em silêncio, depois acrescentou, emocionado:

- Mas, sim, eu ainda amo Rachel. Não creio que ela me amará.

Virginia procurou reavivar as esperanças do irmão, sem conseguir. Quando Rollin saiu, compreendeu que uma segunda recusa poderia afetar o companheirismo respeitoso de ambos na obra do Mestre, e temeu por isso.

Dois meses se passaram. Meses marcados por muitas ações e resultados na cidade de Raymond e especialmente na Primeira Igreja. Henry Maxwell decidira não tirar férias, mas, em vez disso, presenteou uma família do Retângulo com a viagem que faria. Sua igreja continuava crescendo sob o poder do Espírito. As reuniões dominicais após o culto continuaram com entusiasmo e poder. Ele se maravilhava com isso.

Ainda encontrava fortes oposições, como a da Sra. Winslow, mãe de Rachel, que via tudo aquilo como fanatismo e esperava sinceramente que a igreja voltasse ao seu "estado normal". Enquanto isso, todo o corpo de voluntários permanecia sob a influência do Espírito. Quanto a ele, o pastor, continuava firme em seu trabalho, cumprindo todos os deveres da igreja com grande alegria.

Certa tarde de agosto, Jasper Chase suspirava após se aproximar da conclusão de seu novo livro, um romance social, escrito em um estilo acessível, para distrair o leitor. "Que faria Jesus?" A pergunta o assombrava, especialmente depois de receber o "não" de Rachel. Ele sabia que Jesus jamais escreveria tal livro, mas comporia uma obra útil que elevasse o leitor. Jasper não era pobre, mas a fama o tentava.

Indagava-se secretamente se o compromisso assumido na igreja era tão significativo, afinal de contas.

Enquanto continuava na janela refletindo sobre tudo isso, avistou Rollin Page saindo do clube em companhia de Rachel. Seguiu com o olhar os dois jovens até desaparecerem na multidão. Retornou de novo à sua mesa e concluiu o trabalho. "Que faria Jesus?" Desalentado com o amor que perdera, havia finalmente respondido à pergunta negando seu Senhor. As trevas cresciam em seu quarto.

Jesus afirmou: "Ninguém que, tendo posto a mão no arado, olha para trás, é apto para o reino de Deus".

Que te importa? Quanto a ti, segue-me (João 21:22).

Na realidade, o encontro entre Rollin e Rachel havia sido acidental. Rollin falou sobre o projeto humanitário em que ambos estavam interessados. Era um terreno seguro.

- O que você andou fazendo durante todo o verão? Quase não o vi – perguntou ela, logo corando ante a ideia de que sua pergunta denunciasse algum interesse por ele.

– Tenho andado ocupado – respondeu Rollin.

– Fale-me sobre seu trabalho – insistiu Rachel. - Você fala tão pouco.

Um pouco nervoso Rollin começou:

– Naquela noite na tenda, refleti muito sobre o que você tinha me dito sobre a falta de propósito na minha vida. Vi-me impelido a tomar minha cruz. Já pensou que esses jovens que desperdiçam tempo e dinheiro nos clubes são os seres mais esquecidos de nossa sociedade? As igrejas procuram cuidar dos pobres do Retângulo, dos operários, dos povos pagãos em outros países; mas os jovens ricos e perdidos dos clubes não são alvo de nenhum plano de evangelização. Já que fui um deles, imaginei poder ajudá-los. Quando me indaguei "Que faria Jesus?", essa foi minha resposta. - E explicou como havia conseguido conversar com eles sobre religião, inteirá-los das obras no Retângulo e fazer com que parassem de perder dinheiro no jogo.

Rachel sorriu.

- Queria lhe dizer que agora eu o respeito muito por sua transformação e pela coragem de cumprir o seu compromisso.

Rollin estremeceu. Por fim, conseguiu expressar-se:

- Obrigado. Fico muito feliz em ouvir isso.

Quando entrou em casa, Rachel estava emocionada. Experimentava uma intensa alegria por ter encontrado em seu mundo cristão um espaço para um novo sentimento. Começava a amar o Rollin Page cristão.

Raymond encontrava-se agora em pleno inverno. Virginia se esmerava em seu plano de "conquistar o Retângulo", como ela dizia. Após assegurar a posse definitiva da área, havia um trabalho árduo a desenvolver. Henry Maxwell se mostrava admirado de ver as obras em andamento. No entanto, à medida que caminhava, entristecia-se com o aspecto bestializado das multidões que entravam e saíam dos bares. Não podia deixar de pensar no quanto todos aqueles esforços seriam quase infrutíferos enquanto o álcool marcasse sua presença naquele lugar.

Estava chegando ao fim o ano da promessa. Na semana anterior a esse aniversário, esteve em Raymond o Rev. Calvin Bruce, pastor da Igreja da Avenida Nazareth, Chicago, em visita a seu ex-colega de seminário. Impressionado com as mudanças que presenciara tanto na Primeira Igreja quanto no próprio Maxwell, Bruce escreveu sobre todo o processo ao Rev. Filipe A. Caxton, de Nova York:

> "A transformação de Maxwell é visível. Até onde pude notar, ele pensa hoje que o cristianismo de nossa época deve ser uma imitação mais literal do ensino e da vida de Cristo, principalmente quando o sofrimento é requerido. Em nossa conversa, citou-me

várias vezes este versículo da Primeira Epístola de Pedro: 'Porquanto para isto mesmo fostes chamados, pois que também Cristo sofreu em vosso lugar, deixando-vos exemplo para seguirdes os seus passos' (1Pedro 2:21). Não sei até onde posso concordar com essas ideias, mas é espantoso notar seus resultados na vida dos membros daqui, cujas histórias lhe contarei pessoalmente. Todos eles estão envolvidos em um sacrifício genuinamente cristão, que, ao contrário do que se poderia pensar, é capaz de intensificar uma alegria prática e positiva.

"Caro Caxton, posso lhe dizer com segurança que, em toda a minha vida ministerial, nada me impressionou tão profundamente. Nos cultos de que participei aqui, nunca senti de modo tão poderoso a presença do Espírito Santo. Senti-me irresistivelmente levado, em pensamento, aos primeiros tempos do cristianismo, pois havia naquela assembleia algo de genuinamente apostólico em sua singeleza e sincero propósito de imitar a Cristo.

"E não é tudo. Maxwell me chamou a uma reunião em que foi debatido um plano para a cooperação de todos os cristãos de nosso país em vários projetos, tanto no âmbito interno, com grupos de discipulado semelhantes aos que existem aqui, quanto no social, sobretudo com relação ao problema do alcoolismo. Se a Primeira Igreja de Raymond pôde produzir mudanças tão impressionantes na sociedade, as demais igrejas, se conseguirem formar uma vasta federação, não de doutrinas, mas de prática, transmitiriam a todo o país um ideal de vida mais elevado e uma nova concepção de cristianismo.

"O que você acha, meu amigo? Será que as nossas igrejas aceitariam o convite 'Vinde e sofrei'? Faço a mim mesmo esta pergunta e sinto receio de dar uma resposta franca. Tenho desfrutado uma vida em que o sofrimento ocupa um lugar irrelevante. Tenho-me mantido distante da política e dos abandonados deste mundo. O que a obediência exige de mim? Hesito em responder. No entanto, no próximo domingo, estou resolvido a pedir à igreja: antes de mais nada, perguntem-se 'Que faria Jesus?'"

De volta a Chicago, o ministério do Rev. Calvin Bruce nunca mais foi o mesmo.

Mestre, seguir-te-ei
para onde quer que fores
(Mateus 8:19).

- Chegou uma carta para você, Felicia - anunciou o Sr. Sterling, passando o envelope às mãos da filha. Era de Rachel Winslow.
- Quais são as novidades em Raymond?

- Rachel conta que o Rev. Bruce ficou muito impressionado com o movimento que presenciou na Primeira Igreja, do Rev. Maxwell.

- E ela? - quis saber a irmã de Felicia, Rose.

- Ainda está cantando no Retângulo. Está ansiosa para ver prontos os prédios que sua amiga Virginia Page está levantando lá.

Rose não se conformava que a prima Rachel "jogasse fora" sua voz naquela cidade de ferroviários.

– Se viesse para Chicago, todos enlouqueceriam com ela.

– É por causa da promessa – respondeu Felicia, após uma pausa. E completou: – O Rev. Bruce já voltou e vai contar tudo no próximo domingo.

Quando o Rev. Bruce subiu ao púlpito da Igreja da Avenida Nazareth e abriu a Bíblia, como sempre fazia, não havia nenhuma mudança visível nele. No entanto, ninguém na igreja sabia que o ilustre doutor em divindade clamava de joelhos há vários dias, como uma criança, pedindo força e coragem para pregar aquele sermão. Abriu o culto com uma oração e um leve tremor percorreu o auditório. Era sensível a presença do Espírito Santo. Felicia estremeceu ao sentir essa influência sobrenatural.

Havia algo no olhar do pastor que antecipava a cena que se seguiria.

- Acabo de retornar de uma visita a Raymond - começou o Rev. Bruce. Felicia absorvia cada palavra. Após narrar suas experiências na igreja do Rev. Maxwell, Bruce estava pronto para fazer a mesma proposta a sua abastada e elegante congregação. - Sei o que isto vai significar para vocês e para mim. Mudança de hábitos, perda de posição social, perda financeira. Significará algum tipo de sofrimento e renúncia. Seguir os passos de Jesus é o mesmo teste de todos os seus discípulos desde os primeiros séculos.

Passou então ao sermão, escolhendo como texto o versículo de Mateus 8:19: "Mestre, seguir-te-ei para onde quer que fores". Suas palavras tocaram fundo na essência da vida cristã, transportando os ouvintes aos primeiros tempos da igreja e sacudindo a poeira de todo tradicionalismo. Por fim, deixou no ar o convite ao compromisso de seguir os passos de Jesus, mencionando uma reunião após o culto. Felicia decidiu: "Vou ficar". Rose se impacientou.

- Felicia, isso é uma loucura! O que papai vai dizer? Venha!

- Não. Vou assumir o compromisso.

Quando chegou à casa, sob os efeitos de uma forte emoção, Felicia relutou em comentar o episódio. Em seu quarto, ajoelhou-se e, após orar, seu rosto era o de uma mulher que já havia amadurecido e compreendido os grandes caminhos da vida.

Após o culto da noite, o Rev. Bruce e sua esposa receberam a visita da figura alta, forte e imponente do bispo da Igreja Anglicana.

- Calvin, você deu hoje um passo muito sério - começou o bispo, erguendo os olhos para o ex-colega de faculdade. - Vim conversar sobre isso.

- Estou contente com a sua visita, Edward.

O bispo tinha o semblante um tanto carregado.

- Embora nossos caminhos tenham sido diferentes na carreira eclesiástica, Calvin, sempre estivemos de braços dados na fraternidade cristã.

- É verdade - assentiu o Rev. Bruce. - Graças a Deus. Prezo sua amizade acima da de qualquer outra pessoa.

O bispo olhou afetuosamente para seu amigo, mas a preocupação continuava marcando seu rosto.

– Este novo conceito da vocação cristã vai provocar uma crise em seu ministério. Haverá uma revolução no cristianismo se as igrejas em geral resolverem adotar o movimento iniciado em Raymond – suspirou antes de prosseguir. – Fala-se muito em sacrifício. Na minha igreja, é uma palavra fora de moda. Muitos preferem facilidades e conforto em vez de uma cruz pesada. E, além disso, o que é seguir a Jesus? O que significa andar em seus passos?

Logo pareceu divagar, como se esquecido da presença do amigo. Então, o Rev. Bruce teve um vislumbre. Se, com a sua influência, o bispo levantasse a bandeira de Raymond e liderasse essa nova cristianização, várias cidades vizinhas a Chicago adeririam ao movimento!

Com a familiaridade que tinham, o Rev. Bruce colocou as mãos no ombro do bispo, pronto para fazer-lhe uma pergunta muito importante, quando a campainha soou. Alguns minutos depois, a Sra. Bruce surgiu pálida e trêmula diante deles:

- Oh! Calvin, que notícia horrível! O Sr. Sterling... oh! não consigo falar... O Sr. Sterling se matou com um tiro de revólver!

- Vou para lá imediatamente - resolveu o Rev. Bruce. - Quer vir comigo, Edward?

O bispo estava pálido, mas calmo e controlado como sempre.

- Sim, Calvin, irei com você. Não só a essa casa, mas a todo lugar onde estiver presente o sofrimento.

Com aquelas palavras, Calvin Bruce compreendeu que o amigo acabara de aceitar o compromisso.

São eles os seguidores do Cordeiro por onde quer que vá (Apocalipse 14:4).

Na casa dos Sterling, foram recebidos por Felicia. Os três ficaram ali por alguns instantes em silêncio. O bispo, que a conhecia desde garotinha, tomou a palavra:

– Que o Deus de toda misericórdia esteja com você, Felicia. Sua mãe...

Hesitou. Seu único romance ressurgia do passado. O próprio Rev. Bruce desconhecia o episódio. Quando jovem, o bispo se enamorara da bela Camila Rolfe, mas ela havia preferido um milionário. Não guardava nenhuma amargura dessa lembrança, mas a conservava respeitosamente.

Felicia os levou ao quarto da mãe. Os dois ministros foram invadidos por um pressentimento ruim. Rose parecia dormir. A seu lado, a Sra. Sterling repousava sobre os travesseiros com a face tão serena que inicialmente confundiu até o bispo. Mas, quando a dolorosa verdade foi revelada, o bispo cambaleou e a agonia da velha ferida irrompeu-lhe na alma. Mas aquilo logo passou, e ele permaneceu ali com aquela tranqüilidade que os filhos de Deus têm o direito de possuir.

Em seguida, a casa estava completamente transtornada. Aterrorizados, os empregados haviam chamado o médico e a polícia. Surgiram também quatro ou cinco repórteres e muitos vizinhos. Os dois pastores conseguiram afastar todos aqueles cuja presença não fosse necessária. Depois, souberam das particularidades do fato que os jornais denominaram "A tragédia Sterling".

O Sr. Sterling se recolhera naquela noite às 21 horas e não foi visto por mais ninguém, até que meia hora depois um estampido ressoou pelo casarão. Um empregado o encontrou estendido no assoalho, já sem vida. Ao ver o corpo, Rose correu alucinada para o quarto de sua mãe e desmaiou aos pés da cama. Ao saber da tragédia, a Sra. Sterling ordenou que chamassem o Rev. Bruce e insistiu em ver o marido. Apesar das súplicas de Felicia, arrastou-se para perto do morto, ajudada pelas empregadas. Depois de contemplá-lo com olhos sem lágrimas, voltou para o quarto, deitou-se e expirou em seu leito com uma prece de perdão nos lábios, com Felicia inclinada sobre ela e Rose ainda sem sentido, a seus pés. Foi assim que a terrível e rápida morte entrou naquele palácio luxuoso, naquela noite de domingo.

Soube-se, então, que o milionário se achava diante de um desastre financeiro. Quando teve notícias certas de que a ruína não podia mais ser evitada nem escondida, compreendeu a irrealidade de sua riqueza. A casa em que morava, as cadeiras em que sentava, a baixela em que se servia, tudo aquilo fora comprado com dinheiro que não lhe custara o menor esforço honesto. Nada mais lhe pertencia. Não achou outra saída senão o suicídio. Era o fim inevitável de semelhante vida. Fizera do dinheiro o seu deus, e agora nada restava para adorar. Quando o homem perde o objeto de seu culto, sua existência não tem mais razão de ser.

Os efeitos desse tríplice golpe - morte do pai e da mãe e perda da riqueza - logo foram sentidos pelas duas irmãs. Quando tiveram de deixar a casa e passaram a depender de parentes e amigos, Rose não tinha ainda entendido o acontecimento.

Felicia, entretanto, tinha plena consciência dos fatos. Poucos dias depois dos funerais, foram morar com a prima em Raymond. O novo arranjo foi uma amarga experiência para Rose. Resignou-se com lamentações e mau humor, que faziam dela um fardo para Felicia e Rachel.

Em companhia da prima, Felicia sentia-se no céu. O afeto de ambas crescia à medida que percebiam a extensão do compromisso cristão assumido. Na casa da tia, havia demonstrado de tal modo suas habilidades como cozinheira que Virginia logo lhe pediu que se encarregasse da cozinha do Retângulo. Encontrara muito prazer na nova atividade e já sonhava com um restaurante-modelo em Chicago para ministrar aulas de culinária em bairros pobres. Em tudo isso, mantinha a promessa de se perguntar sempre: "Que faria Jesus?"

Era a inspiração de sua conduta e a resposta a todas as suas ambições.

Três meses haviam se passado desde o domingo do compromisso na Igreja da Avenida Nazareth. O Rev. Bruce atestava quão profundos eram os sentimentos religiosos daqueles irmãos. Em seu escritório, conversava com seu amigo Edward. Ambos estavam insatisfeitos com seus ministérios.

- Tenho uma convicção - dizia o pastor Bruce. - Para seguir os passos de Jesus, terei de renunciar ao pastorado da Igreja da Avenida Nazareth.

- Eu sei - respondeu o bispo. -E me sinto forçado a fazer o mesmo.

O bispo levantou-se e caminhou até à janela, observando as pessoas que passavam. Em seguida, revelou o que lhe ia na alma:

– Calvin, vivemos em uma cidade terrível! Tenho lutado durante anos contra o terror de um dia ser forçado a renunciar ao conforto de minha posição. As palavras do Mestre ressoam em minha mente: "Na verdade, na verdade vos digo que quantas vezes deixastes de fazer a um destes mais pequeninos, a mim o deixastes de fazer". Pergunto-me: quando realizei qualquer ato de sacrifício pelo próximo? Nunca; nada faço além de agradar os membros de minha congregação, especialmente os bem-sucedidos. Onde está, pois, meu sofrimento por Cristo? Saiba disto, Calvin: se estivesse no tempo de Lutero, eu vergastaria a mim mesmo.

O Rev. Bruce confessou os mesmos sentimentos, citando o versículo de Pedro: "Também Cristo sofreu por vós, deixando-vos exemplo, para que sigais suas pisadas"

– Já não consigo suportar esta situação. Não condeno a igreja. Amo-a e creio em sua missão histórica. Também não pretendo julgar outros ministros. Porém, é minha decisão pessoal renunciar ao meu cargo para seguir os passos de Jesus. Sinto que devo me aproximar da degradação desta cidade, como Jesus faria. Pretendo instalar-me com minha esposa no centro da área de maior carência para produzir o maior bem possível, no aspecto material e no espiritual.

– Permita-me sugerir-lhes um lugar – interveio o bispo, contagiando o amigo com uma alegria crescente. O plano consistia em alugar um grande edifício desocupado no coração de um bairro onde imperava o alcoolismo, o vício, a ignorância e a pobreza. "O cristianismo autêntico é o que chora com os que choram", refletiam.

O bispo tinha uma respeitável fortuna. O Rev. Bruce acumulara quantia suficiente para assegurar sua independência. Esses recursos seriam aplicados em boa parte na Casa da Missão, como seria denominada.

Nesse meio tempo, a Igreja da Avenida Nazareth estava experimentando algo inédito em sua história. Quando o Rev. Bruce anunciou de púlpito sua renúncia ao pastorado, o susto e a consternação tomaram conta do templo e da cidade. O bispo tentava consolar um afetuoso amigo:

– Por que o espanto? Se tivéssemos renunciado a nossos cargos para assumir um trabalho missionário na Índia ou na China, todos enalteceriam nosso gesto desprendido.

Apesar de toda a tristeza, muitos compreenderam que o seu pastor estava convicto a respeito do que Jesus faria. Não perderiam o impulso daquele movimento iniciado pelo Rev. Bruce. Os que haviam assumido o compromisso perseveraram no mesmo espírito de renúncia e, por meio de seu testemunho, sopravam sobre a igreja o hálito de uma vida santificada.

O outono chegara, e a cidade se preparava para mais um inverno inclemente. Uma tarde, o bispo saiu da Casa da Missão e encontrou Felicia Sterling à porta de uma casa pequena.

– Felicia! Como chegou à minha paróquia sem meu conhecimento?

– E como o senhor me descobriu tão depressa? – riu ela. E explicou: – Eu ia mesmo visitar o senhor. Estou instalada aqui com uma das alunas de Rachel, que estuda violino, ajudada por Virginia Page. Ela é do Retângulo. Tomo conta da casa e preparo bons pratos para os clientes.

Em seguida, insistiu em que ele tomasse parte à mesa com ela e Marta. Surpreso pela qualidade da comida, o bispo agradeceu e acrescentou:

– Você precisa ir à Casa da Missão. Quero que veja o que estamos fazendo lá.

Felicia o acompanhou no mesmo dia, deslumbrada quando viu o que o dinheiro, a visão e a inteligência, consagrados a Deus, são capazes de realizar. Na Casa, reencontrou um amigo da igreja, Stephen Clyde, que tinha uma história muito parecida com a sua.

- Meu pai perdeu toda a sua fortuna, o que me obrigou a trabalhar - contou ele. - Para mim, tem sido uma experiência muito boa. Fiz o curso de contabilidade e à noite trabalho para um hotel. Fiz a mesma promessa na Igreja da Avenida Nazareth naquele dia.

- Ah, fico contente com a sua decisão - respondeu ela.

Na semana seguinte, o bispo passou por uma experiência que entrou para a história da Casa da Missão. Dois homens o abordaram com um revólver. Permaneceu calmo e deixou que revistassem seus bolsos, os braços erguidos. Quem passasse pensaria que ele orava pelos dois homens. E era verdade. Tiraram o dinheiro e tentavam puxar o relógio de bolso quando ele pediu:

- Por favor, não quebre a corrente! Foi presente de um amigo querido.

O ladrão que empunhava o revólver se viu imerso em uma grande compaixão. Apontou a arma para o comparsa:

- Põe tudo no lugar, senão lhe estouro os miolos!

O outro ainda vacilou, mas obedeceu. E o primeiro exclamou:

- Pode ir, senhor bispo.

Mas o bispo nem se mexeu. E o homem que segurava a arma resolveu tirar o chapéu, mostrando-lhe um tufo de cabelos brancos. Logo uma antiga lembrança aflorou à mente do ministro.

- Fui à sua casa dizendo que minha mulher e meu filho tinham morrido queimados no incêndio em uma casa de cômodos em Nova York - contou ele. - Dormi lá aquela noite e o senhor passou todo o dia seguinte procurando emprego para mim. Prometi que largaria a bebida, lembra?

- Sim, estou lembrado agora. Espero que tenha mantido a sua promessa.

O homem riu de maneira rude.

- A promessa! Nunca mais deixei de beber. Mas nunca me esqueci. O senhor orou por mim exatamente como minha mãe orava, sem prestar atenção ao fato de eu estar esfarrapado, embrutecido e meio bêbado quando toquei a campainha de sua casa. Meu Deus! Que vida tenho levado! Não desejo mal algum ao senhor. Vá em paz.

O bispo permaneceu inerte. Refletia profundamente.

- Há quanto tempo está sem trabalho? - perguntou.

Foi o outro que respondeu:

- Faz mais de seis meses que não trabalhamos. Só roubamos.

- E se eu achar trabalho para vocês? - Ao mesmo tempo estava orando ardentemente: "Senhor Jesus, dá-me estas duas almas para ti!"

E, então, a prodigiosa memória do bispo veio naquele instante em seu auxílio:

- Burns, se você e seu amigo quiserem ir para casa comigo esta noite, vou arranjar emprego para os dois. Quero acreditar e confiar em vocês. Em nome daquele que foi crucificado por nossos pecados, não posso suportar a ideia de vê-los assim. Vamos esquecer o que se passou aqui nesta noite. Deus lhes dará perdão no momento em que vocês o pedirem.

Em seguida, o apelo do bispo transformara-se em uma oração a Deus. Burns escondia o rosto nas mãos, soluçando. Era como se as orações da mãe se unissem ao poder da oração do bispo. O companheiro de Burns pouco a pouco emocionava-se também. E a mesma Presença sobrenatural que alcançou Paulo na estrada de Damasco, caiu sobre a igreja de Henry Maxwell e alcançou a Igreja da Avenida Nazareth se manifestava naquele canto da cidade sobre aqueles dois homens.

Após a oração, o bispo se levantou:

– Venham, amigos! Deus é maravilhoso. Vamos para a Casa da Missão.

Logo arranjou-lhes emprego. Burns seria o segundo porteiro da Casa e seu amigo trabalharia para um comerciante local. E o Espírito Santo prosseguiu neles a Sua maravilhosa obra de regeneração.

No dia seguinte, Burns varria os degraus da escada em frente à Casa da Missão quando percebeu a tabuleta de uma casa de bebidas ao lado. De repente, a porta mais próxima se abriu e um forte cheiro de cerveja chegou até ele. Começou a varrer com mais força, em um gigantesco esforço para afastar-se do limiar daquela porta. "Meu Deus, se o bispo voltasse!", pensou. Seu rosto estava transtornado pela agonia de um violento combate. O cheiro da bebida era como o enxofre do mais profundo inferno. Quando estava prestes a entrar no bar, a figura alta do bispo puxou Burns pelo braço. Enlouquecido pelo desejo do álcool, o infeliz se desvencilhou com um soco. Em resposta, o bispo o agarrou como se fosse uma criança e o carregou para dentro, onde oraram juntos.

Era um livramento. No entanto, a cidade inteira exalava a cerveja e uísque. O ministro descobriu que a casa ao lado pertencia a um dos membros da Igreja da Avenida Nazareth. O Rev. Bruce foi confrontá-lo pessoalmente.

- Clayton, você acha certo alugar aquela casa para um botequim?

O homem chorou.

- Pastor, o senhor sabe que assumi o compromisso naquela manhã. É o meu melhor aluguel. Mas vou fazer esse sacrifício.

A casa de bebidas ao lado da Casa da Missão foi fechada. Clayton não só deixou de renovar o contrato, mas pôs o edifício à disposição da Casa da Missão, onde se instalou o Departamento de Alimentação, chefiado por Felicia. Ali, dava aula para moças que desejassem se empregar no serviço doméstico. Morava agora com os Bruce, na Casa da Missão, com outras jovens da cidade. Marta, a violinista, ficou na casa em que o bispo as descobrira e ministrava música na Casa.

No rigor do inverno, Chicago intensificava seus contrastes entre o conforto e o luxo, de um lado, e a miséria e a luta desesperada pelo pão, de outro. Vendo a escassez de auxiliares, o bispo indignava-se com quem descarregava sobre uns poucos os deveres da verdadeira caridade. Contudo, o Espírito se movia nas igrejas, silenciosa, mas poderosamente, mesmo no coração dos membros mais aristocratas e acomodados.

Certa manhã, o Espírito surpreendeu a todos os cooperadores da Casa. O café da manhã era um momento especial de confraternização e bom humor, dissipando a atmosfera de tristeza e cansaço que preenchia todas as outras horas do dia. O bispo lia o jornal em voz alta. De repente, ficou sério:

> - "Morto a tiro quando furtava um saco de carvão para aquecer a família. Estava desempregado. A criança se protegia em farrapos de pano!"

Leu toda a reportagem. Estavam ainda em silêncio quando soou a campainha. Era Clarence Penrose, um antigo membro da Igreja da Avenida Nazareth. Vinha de uma família aristocrática e possuía muitas propriedades em Chicago. O bispo trocou um olhar significativo com o Rev. Bruce.

- Estou aqui por causa da morte de um dos meus inquilinos - explicou Penrose. - Os senhores devem ter lido a notícia.

Os dois ministros aquiesceram. Penrose parecia transtornado.

– Pastor – exclamou por fim. – Passei por uma experiência sobrenatural. Achava que estava vivendo como um verdadeiro cristão, doando do que não me faltava. Mas nunca me sacrifiquei. O senhor lembra que minha filhinha, Diana, assumiu o compromisso junto comigo naquele dia? Pois ela vem fazendo perguntas sobre os pobres. "O senhor é dono dessas casas onde os pobres moram? São bonitas e quentinhas como a nossa?" Não pude dormir. Parecia-me estar no dia do juízo. A primeira coisa que li hoje foi a notícia da morte de um dos meus inquilinos. Sou um grande culpado diante de Deus!

Penrose calou-se repentinamente. Os dois ministros compreendiam.

Somente o poder do Espírito poderia abalar a alma daquele homem. O bispo orou e, em seguida, Penrose pediu calmamente que o acompanhassem até aquela casa. A visita significou uma transformação completa em sua vida. Que faria Jesus se possuísse cortiços em uma grande cidade? Penrose passou a agir seguindo esse princípio. E muitas outras mudanças semelhantes atingiram a quem prometeu andar nos passos de Cristo.

Pouco tempo depois, Stephen e Felicia se apaixonaram, e sua história de amor se tornou parte da glória da Casa da Missão.

Só uma coisa te falta: Vai, vende tudo o que tens, dá-o aos pobres, e terás um tesouro no céu; então vem, e segue-me (Marcos 10:21).

Convidado pelo Rev. Bruce, Henry Maxwell pregou na Casa da Missão naquela noite. Havia decidido narrar, em linguagem simples, os fatos ocorridos em Raymond, enunciando o princípio contido na pergunta: "Que faria Jesus?" Após a palavra, o bispo anunciou um debate. Um homem falou:

– Procurei emprego a ponto de ficar doente. Há dois meses que não ganho nada. Tenho mulher e três filhos, que amo muito. Queria então fazer uma pergunta ao ministro: como posso saber o que faria Jesus em meu lugar?

Maxwell permanecia silencioso. Por fim, indagou à assistência:

– Haveria aqui um discípulo de Cristo em condições idênticas?

Lentamente, outro homem se levantou. Estava idoso e sua mão tremia.

– Não sei se já me perguntei "Que faria Jesus?", mas sei que me esforcei para ser discípulo em qualquer contingência. Fiz o que era possível quando desempregado, menos roubar e mentir. Nunca fiz mal a ninguém. Às vezes penso que ele iria preferir passar fome a mendigar. Não sei...

O silêncio logo foi interrompido por Carlsen, o chefe socialista:

– O sistema está podre! Os capitalistas matam milhares. Igreja? Compromisso? Que nada. Precisamos do socialismo!

Formou-se uma confusão de vozes. Cada um dava sua opinião sobre como acabar com a miséria no mundo. O bispo declarou encerrada a discussão e pediu a Rachel para cantar, o que desfez a atmosfera de hostilidade e tocou aqueles corações. Ao final, sozinho em seu quarto, Maxwell orou com fervor pela obra da Casa da Missão.

Pediram a Maxwell que pregasse em uma grande igreja de Chicago. Depois de contar o que se passara na igreja de Raymond, tomou por base a história do jovem a quem Jesus dissera: "Vende tudo o que tens, dá-os aos pobres, e terás um tesouro no céu; então vem, e segue-me". O pregador desafiou o auditório:

– Será que as igrejas de hoje não recusariam Jesus se tivessem de passar por sacrifícios? Estaremos prontos a colocar à prova a nossa fé? A dispor de nossos dons e bens como Cristo o faria? O padrão dele não mudou. Creio que Jesus exigiria, e exige, tanto sacrifício de seus discípulos quanto antes, quando dizia: "E qualquer que não tomar a sua cruz, e vier após mim, não pode ser meu discípulo".

Fez uma pausa e continuou:

– Os discípulos de hoje têm uma vida egoísta, fácil, luxuosa, muito longe de qualquer ideia de sacrifício. Qual seria o resultado se nesta cidade todos os membros das igrejas começassem a fazer o que Jesus faria? O cristianismo que desconhece a renúncia e o sofrimento não é o cristianismo de Cristo. Que é ser cristão? É imitar Jesus. É fazer o que Ele faria. É seguir seus passos.

Maxwell terminou o culto com uma oração que penetrou no íntimo do coração de seus ouvintes. E aconteceu algo que seria impossível se as palavras ouvidas tivessem sido apenas humanas: muitos vieram à frente para cumprimentar Maxwell e declarar-lhe o desejo de um compromisso com o exemplo de Jesus. Era algo espontâneo, que ultrapassava toda expectativa. E, para a grande alegria de Maxwell, a Sociedade do Esforço Cristão, como um só corpo, comprometeu-se a seguir os passos de Jesus.

Na Casa da Missão, antes de dormir, Maxwell ajoelhou-se e, enquanto orava, vislumbrou o que aconteceria se a visão fosse amplamente adotada. Viu-se a si mesmo em Raymond vivendo de modo mais simples que antes. Compreendeu que se exporia a maiores sofrimentos pela oposição que suas ideias suscitariam, mas uma voz lhe dizia: "A minha graça te basta". Viu Rachel Winslow e Virginia Page continuando a obra no Retângulo e estendendo sua influência benemérita para além de Raymond. Viu Rachel casada com Rollin Page e ambos igualmente consagrados. A voz de Rachel continuava levando almas perdidas a Deus. Viu o diretor Marsh empregando seu saber e sua influência para estimular o patriotismo e inspirar nos jovens o desejo de viverem para Cristo. Viu Alexander Powers sofrendo pela falta de compreensão de sua esposa e de seus amigos, mas seguindo sempre o Mestre. Viu Milton Wright perdendo dinheiro, mas saindo da crise com a honra salva e um belo testemunho. Viu Edward Norman fazendo do jornalismo uma força transformadora da sociedade. Viu Jasper Chase, que negara o Mestre, tornar-se um homem frio e cínico. Viu Rose Sterling casar-se com um homem muito mais velho que ela, aceitando o fardo de uma união sem amor para desfrutar uma vida de luxos. Viu Felicia e Stephen Clyde casados e felizes, esforçando-se para a salvação de almas em um lar consagrado ao serviço de Deus. Viu o Rev. Bruce e o bispo encimando a porta da Casa da Missão com o letreiro: "Que faria Jesus?" Viu Burns, e muitos outros redimidos por Cristo, levando a realidade do novo nascimento aos mais degradados e abandonados da sociedade.

Nesse ponto, tudo se turvava em sua oração. As igrejas de Jesus seguiriam o Mestre? O movimento inaugurado em Raymond teria forças para se estender mais longe? Ah! Se a visão aparecesse de novo! E veio logo em seguida, mais nítida: as Sociedades de Esforço Cristão percorriam o mundo inteiro com um estandarte no qual se lia: "Que faria Jesus?" Nos rostos desses jovens, via raiar a alegria de sofrimentos, de sacrifícios futuros, de prejuízos materiais, de abnegação, de martírio. Quando essa parte da visão desvaneceu, ouviu um coro angélico de muitas vozes e um grande grito de vitória. No alto, a figura de Jesus tornava-se cada vez mais nítida e esplêndida. "Sim, ó meu Mestre, faz brilhar nas trevas a luz da verdade! Ajuda-nos a seguir-te sempre!"

Afinal, levantou-se com o temor respeitoso de quem contemplou coisas celestiais. E foi com uma esperança feita de fé e amor que Henry Maxwell, discípulo de Jesus, deitou-se para sonhar com uma cristandade regenerada e com as igrejas de Cristo "sem mácula, nem ruga, nem outro defeito semelhante", seguindo fielmente a Jesus, andando obedientemente em Seus passos.

Sobre o autor

Charles Monroe Sheldon nasceu em 1857 e cresceu em Dakota. Depois de sua conversão em uma igreja Yankton, ele começou a escrever aos 12 anos, e seu trabalho era vendido para um jornal de Boston. Estudou na Brown University, e ali ele fundou o que denominou de "a primeira escola dominical para tintureiros chineses nos Estados Unidos".

Sheldon estudou no Andover Theological Seminary. Ele tornou-se ministro em uma igreja em Waterbury, Connecticut, onde conheceu uma jovem, Mary Merriam, que se tornaria sua esposa.

Em 1889, ele mudou-se para o oeste para se tornar pastor de uma igreja recém-criada, a Central Congregational Church, em Topeka, Kansas.

Em 1892, a ideia de jardins da infância, importada da Alemanha, chegou aos Estados Unidos. Um ano depois, com a ajuda dos membros de sua congregação, Sheldon deu início a dois jardins da infância, um em sua igreja, e outro em Tennesseetown, o primeiro jardim da infância para afro-descendentes, a oeste do Mississippi.

No verão de 1896, ele começou a escrever *Em seus passos*. Ele leu o primeiro capítulo para sua congregação na noite de 4 de outubro de 1896.

Sheldon aposentou-se do púlpito em 1919, mas continuou trabalhando, tornando-se o editor chefe do jornal *Christian Herald* em 1920.

Em 24 de fevereiro de 1946, dois dias antes de completar 89 anos, Charles Sheldon, depois de um derrame, faleceu.

Sua opinião é importante para nós.
Por gentileza, envie-nos seus comentários pelo e-mail:

editorial@hagnos.com.br

Visite nosso site:

www.hagnos.com.br